阆苑仙境话生肖

摄影 潘明清

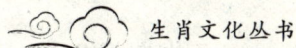 生肖文化丛书

生肖 你我她

SHENGXIAO NI WO TA   张瀚文 罗修德 著

解读你的运程
解读我的团队
解读她的姻缘

三秦出版社

图书在版编目（CIP）数据

阆苑仙境话生肖/张继军，罗修德著. —西安：三秦出版社，2009.9

（生肖文化丛书）
ISBN 978-7-80736-695-9

Ⅰ.阆... Ⅱ.①张... ②罗... Ⅲ.十二生肖-通俗读物 Ⅳ.K892.21-49

中国版本图书馆CIP数据核字（2009）第168388号

生肖文化丛书
生肖你我她——阆苑仙境话生肖

张继军　罗修德　著

出版发行	三秦出版社
	新华书店经销
社　　址	西安市北大街147号
发行电话	（029）87205121
垂询电话	（0817）6225777
邮政编码	710003
印　　刷	蓝田立新印务有限公司
开　　本	720×1000　1/32
印　　张	36
字　　数	66千字
版　　次	2009年12月第2版
	2011年10月第3次印刷
印　　数	12501-24900套
标准书号	ISBN 978-7-80736-695-9
单册定价	6.50元
全套定价	78.00元
网　　址	WWW.sqcbs.com

引 言

　　盛唐双奇袁天罡、李淳风晚年退隐于被称为人间仙境的四川阆中，常常一起谈风论水推测后世，并遗存有大量的天象和风水方面的书籍，尤以《推背图》久负盛名。这套小书是风水馆张瀚文馆长和罗修德风水大师根据这些遗存，经过多年的研究编写而成的。

　　阴历是世界上流传最久的历法。黄帝在位61年时，产生了一道十二官历法的首轮称为甲子，每一甲子为期60年，由5个分期构成，每个分期12年，我们称为五子运。每一年都以一个"动物符"作标记，我们称之为生肖。关于十二生肖源于何时及其排列，有各种传说，至今难以细考。这类故事，或似开心解闷的笑谈，或似贬恶扬善的寓言,文学成分较浓。

古代也有这样的传说,玉皇大帝99岁寿辰时,王母娘娘在阆苑仙境为他举行盛大的宴会,天上人间各路神仙纷纷前来贺寿,最先到来的动物神是老鼠,接着是牛、虎、兔、龙、蛇、马、羊、猴、鸡、狗、猪。玉皇大帝就按这些动物到来的先后顺序分别封以不同的年号,配以不同的时辰,作为对它们的赏赐。从此,"鼠咬天开"后的小老鼠就幸运地坐上了十二生肖的头把交椅,新一轮的五子运也从鼠年开始了。

代表生肖的动物符分别与自然界中的木、火、土、金、水五行相对应。五行又按磁场的正负极分为两极,即中国人所谓的阴和阳。

在阴历中,每天分为12更,每种动物符代表1更,昼始于子夜11时。阴历中的动物符对人的影响也是十分强烈的。属相中的12种动物分为阴阳两类。鼠、虎、龙、马、猴、狗属阳性，牛、兔、蛇、羊、鸡、猪属阴性。

12种动物属相除了其表示年的五行外，还有其固定的五行与季节对应。猪、鼠、牛为冬天，方位北方，季节色为蓝色，五行属水；虎、兔、龙为春天，方位东方，季节色为绿色，五行属木；蛇、马、羊为夏天，方位南方，季节色为红色，五行属火；猴、鸡、狗为秋天，方位西方，季节色为黄色，五行属金。

古代圣贤说，土生万物，因为它是金、木、水、火四行合一的象征，便不能与十二属相中任何动物相对应。有些算命人士指土为本行，从而以牛代水、龙代木、羊代火、狗代金。

在没有现代方法观测气象的时代，中国人便利用了阴历来预测雨雪到来的季节。时至今日，人们仍然相信阴历的真实可靠性。人们会发现，如果某年五行标志为水，那么这一年很可能会发生决堤或洪灾，这取决于阴阳两极哪个的影响力更强些。

你也许会对春季的第一天感兴趣，皇历中谈到，这一天鸡生的蛋能立起来，请你不妨试一试。如果有缘，你会见证的。阴历中春季到来的这一天称为"立春"，通常是阳历2月4日或5日。阴历节气是变化无常的，某些阴历年中也许会出现两次立春的情况，而某些阴历年根本不存在立春。中国的占卜者们称无立春之年为"盲年"，因为人们"看"不到春季的第一天。因此，在这样的年份里是忌讳娶亲的。

在这本小书中，你会发现、知晓深藏于你内心和他人内心深处的秘密。这样，你不仅会了解自己，而且还会知道你个人与事业的关系，知晓生活中会发生的事情。

同时这本小书能帮助你从另外一个角度观察自己，观察你宜与周围哪些人组成最好的朋友或团队，观察宜与哪个属相的人与你结合的婚姻是幸福美满的。它会使你理解主宰你的"狗"为什么会偶尔让你表现出急躁,属马的人易变、不安静特点的由来,以及为什么属龙的朋友会盛气凌人、花钱讲排场,还有蛇年出生的人为什么会有多疑的性格。你也许会吃惊地发现,有些工匠善于修理各种各样的东西,是因为他们出生于使他们聪明智慧的猴年。另外你还会看到那些动作迟缓、自信甚至保守的银行家们多是出生在充满自信的牛年。

也许这本书能让你进入理解命运和造化的神秘之门,甚至可以帮你作出重大决定。人生路上你会倾听蛇的机敏语言、寻求羊的温柔与同情心、获得猴的聪明智慧、共享马的快乐、欣赏兔的善交能力、用狗的忠诚交朋友、依靠虎的热情点燃生命之火、以鼠的勇于进取去完成伟业……

愿《生肖你我她》成为你为人处世的指南、美满婚姻的处方、幸福生活的源泉。

春

生肖 五运 干支	水运	火运	木运	金运	土运
猪	乙亥	丁亥	己亥	辛亥	癸亥
狗	甲戌	丙戌	戊戌	庚戌	壬戌
鸡	癸酉	乙酉	丁酉	己酉	辛酉
猴	壬申	甲申	丙申	戊申	庚申
羊	辛未	癸未	乙未	丁未	己未
马	庚午	壬午	甲午	丙午	戊午
蛇	己巳	辛巳	癸巳	乙巳	丁巳
龙	戊辰	庚辰	壬辰	甲辰	丙辰
兔	丁卯	己卯	辛卯	癸卯	乙卯
虎	丙寅	戊寅	庚寅	壬寅	甲寅
牛	乙丑	丁丑	己丑	辛丑	癸丑
鼠	甲子	丙子	戊子	庚子	壬子

冬　夏

秋

目 录

子　鼠 …………………………… 1

鼠　年 …………………………… 3

属鼠人的性格 …………………… 5

属鼠的儿童 ……………………… 11

属鼠人的起名 …………………… 14

属鼠人的五种类型 ……………… 16

属鼠人与时辰的对应关系 ……… 22

属鼠人在其他生肖年中的运程 … 35

属鼠人生月趣解 ………………… 48

属鼠人生日趣解 ………………… 52

属鼠人的姻缘 …………………… 59

吉祥四季　平安一生 …………… 84

阆中风水博物馆 ………………… 86

子 鼠

（圆明园十二生肖铜兽首）

鼠

我是自封的索取者
我虽渺小
但作用浪大
我的品位极高
坚信义能稳步达到目标
生活对于我是个愉快的旅程
我不断地追求
勇于进取
我是活力的源泉
我是——鼠

鼠年

鼠年是多变的，给人们带来机遇又面临挑战。他是投机的象征，商品价格、股票价格都会起伏不定。如果准备充分，鼠年的一些冒险行为将会成功，不过，不要进行不必要的冒险。鼠年仍会受到严寒和黑夜的威胁。那些乱投机、过分冒险的人将会以失败而告终。

在这一年中，人们会感觉痛快。然而，一些小争吵及讨价还价是避免不了的，这些都不会对人有什么损害。这一年很具戏剧性，大部分人喜欢交际和享受并在规范中找到方向。

属鼠人的性格

属鼠的人容易相处，工作努力，生活节俭，除非是他非常喜欢的人，否则他是不会慷慨解囊的。所以，假如你从他那里得到一件贵重的礼物，那么，他对你的评价一定是相当高的。然而，尽管他会精打细算，并以此来炫耀，但他从不需要崇拜者。

表面上属鼠的人可能表现得沉默寡言，但实际上并非如此，他从来都不像他所表现的那么安定。他容易激动，但他能控制自己。这一点是他为什么受欢迎、并有许多朋友的最好解释。

属鼠人的性格通常是开朗的、快乐的和善于交际的。他们生性好结伙、集会，并努力加入排他性组织。按习惯，你总能在亲密的朋友圈里或同伙里找到他，他喜欢参与一切事，表现得很友好。

一个属鼠的老板可能会对他的雇员很关心，关心他们是否有足够的运动，或膳食营养是否合理。当雇员生病时，会去看望他们，把他们的问题当作自己的问题来解决，而当谈到给雇员们提高他们早就应该增加的工资时，他就开始设置障碍，变得小气起来。要想从属鼠的人身上得到钱，得经过多次谈判和讨价还价后才能达成协定。

有时，属鼠的人明显地拉帮结伙，他们多有安全感的说法大概是有道理的。他们从不担心再多一张嘴吃饭，能够允许亲戚、朋友待在家里靠他生活。为什么呢？因为狡猾的老鼠总能给他们找到一点事来做，以此来使他们换取衣食，叫花子和那些爱占便宜的人在他家里都变得很忙。

鼠的本性使他能够很好地保守自己的秘密，但他却是探听别人秘密的专家，他绝不会放过任何一个打听消息的机会。

属鼠的人消极的一面在于对一些小事饶舌，爱批评人、爱计较、好找岔和讨价还价。他常买一些并不需要的东西，并且总是在讨价还价中把人欺骗。也许这是他的积累欲在作怪。他在房间里珍藏纪念品，他在心里隐藏忧伤往事。他很爱管闲事，用意多是好的。

属鼠的人记忆力很好，非常爱提问题，独具慧眼。他几乎了解周围的每一个人、每一件事，把它记录下来，并把这些当做是自己的嗜好。因此，属鼠的人成为优秀作家并不令人吃惊。

这一年出生的人无论做什么事情都会成功，因为他像他的属相一样会随机应变。他有克服困难的能力，并能临危不惧。由于他的冷静和机警，他具有敏锐的直觉、远见和做生意的敏感，灾难只能使他智慧更加出众。他总是在忙着制订自己的计划。

请不必为他的安全担忧，在做交易之前，他早已想好退路，万一发生不测，他会及时地退出来。自卫的本能在他的心中是占第一位的,他通常采用风险最小的方案。野心过大是他前进中的绊脚石,如果他能扬长避短就能完成人生大业的。

鼠的出生时辰对属鼠人的生活方式有很大影响。在晚上出生的人要比白天出生的显得更热烈、更激动。

属鼠人易受属牛人的吸引,他会发现属牛的人不但是可依靠的强者,他们所奉献的忠诚同样令人赞赏。同样,属龙的人也同属鼠的人很友好。他们还会发现机警的属蛇人也是具有吸引力的,可能会与他结成适当的联盟。由于权力所控,所以属鼠人会迷恋不可抵挡的猴子,很赞赏聪明猴子的办事方式;另一方面,猴子会非常高兴地让老鼠按他的旨意去说话做事。属鼠的人与属虎属狗属猪或另一个属鼠的人之间将会和睦相处。

他与属马的人之间会有很大冲突,属马的人对喜欢拉帮结伙的属鼠人来说显得非常独立，并且使人捉摸不定。对属鼠的人来说与属鸡的人结婚是不明智的。酷爱幻想的属鸡人会无休止地激怒讲求实际的属鼠人。与属羊人结婚也存在很多问题，仁慈的属羊人也许会把属鼠人用艰苦劳动换来的积蓄挥霍掉。

属鼠的儿童

你我她

出生在鼠年的孩子很活泼，很招人喜欢。他经常用哭闹的方式引起人们的注意。虽然他气质迷人，但他们却有很强的占有父母感情的欲望，嫉妒父母注意其他人。

属鼠的孩子讲话早，喜欢吃零食，对烹饪和家务事感兴趣。由于他感情丰富和性格外向，不愿被人冷落，他乐于和小朋友们一起玩，能够细致地、集中精力地做事情，并容易结交朋友。他们能够把东西摆放整齐，并能随时找到所需要的东西。

属鼠的孩子很早就呈现出算计别人的天性。他会设法得到大的那一半苹果。他学东西很快，一眼就能看出其中奥秘。他会按期清点他所有的东西。因此，你不要认为他不会想起那件旧玩具，就随便把它送人，因为自私的小

老鼠不会轻易丢掉任何东西。

　　和比他小的孩子在一起时，属鼠的孩子表现出母亲般的温情。在学校里，当他们得到适当的鼓励时便会雄心勃勃。他们会积极参加那些开发智力的活动。

　　活泼的属鼠人酷爱读书，他很早就能认字并能很好地表达自己的思想。世界上许多伟大的作家和历史学家都是在鼠年出生的。

属鼠人的起名

取名宜有"八""冖"字,则环境良好,名利双收,清雅荣贵;有"米""豆""鱼"字,福寿兴家,子孙鼎盛;有"艹""金""玉"字,精明公正,操守廉正;有"亻""木""月"字,贵人明现,克己助人;有"田"字,快乐待人,一生清闲;有"山"字,孤独、六亲无缘,但离祖成功;有"刀""力""弓"字,不利家庭,晚婚迟得子不大吉;有"土"字,不利健康或忧心劳神;有"忄"字,多不顺或作风果断;有"石"字,不利健康,有"皮""守""马""酉""火""车"字,忌车怕水或易犯法。

属鼠人的五种类型

金鼠——1900年 1960年 2020年

这种属鼠的人思想可能是主观主义的。他的讲演是生动的，常伴有某种姿势。他的感情是强烈的，但他可以掩饰起感情以显出快乐迷人的性格。事实上，他很容易嫉妒、愤怒，占有欲极强。

他的看法只限于他能感觉到的东西。他爱钱但不会把钱存起来，如果他能买到物美价廉的东西，他是会把钱花掉的。他懂得如何进行投资，不会像具有其他要素的属鼠人那样浪漫，但他还是敏感的、有道德的。

他喜欢引人注目，尽量把家庭装饰得富丽堂皇。他酷爱戏剧和热闹的场面，具有鉴赏力。他的行动是敏捷的。如果他能控制住自己的占有欲，那么他就会被具有正义感的人们所了解和喜欢。总的来说，这种属鼠的人是很有前途的人。

水鼠——1912年　1972年　2032年

这种属鼠的人擅长脑力劳动，他见多识广，并与各阶层的人士都有密切关系。很随和并能谅解别人，因而很受人尊重。这种属鼠的人会竭尽全力地在他的势力范围内扩大影响。能很快地领会其他人的好恶，并知道怎样使对他有用的人高兴。他也许不太善于辨别，愿意同任何人联系，这样也许会使他遇到一些麻烦。他会在工作中加深修养，永无止境地学习。

木鼠——1924年　1984年　2044年

这种属鼠人是进步的、非常友好的,在事业上也易于成功。他努力探讨一切,能够使物尽其才。他有远见,并对事情发生的原因很感兴趣。十分关心他人,因为他需要别人的钦佩和赞同。

他有自己的原则,知道应该做什么。他对制度的规定很严格,但为了达到他的目的却又很灵活。他喜欢安全并常为前途而担忧,这是他为什么努力工作的原因之一。

他很自信、很内行,对他所从事的事情很精通。他很健谈,这无疑促进了某种思想或计划的实施,大胆地为自己的冒险击鼓助威。

火鼠——1936年 1996年 2056年

这种属鼠的人很精干,并有骑士风度,他喜欢参加各种活动。他可能是一种慷慨型的人。他虽然精力充沛、点子多,但他缺乏外交感,有时对他所需要的援助表现得很迟钝。他是个纪律松散的家伙,不善于动脑子,好感情用事。他深深地爱着自己的家庭和亲友,一旦发觉周围的一切使他无法忍受时,他就会毅然离去,到一个开放自由的环境去。

他是独立的,并且有很强的竞争性。他不满足于维持现状,因而他的财产也许会经常变化,有时变化很大。

土鼠——1948年 2008年 2068年

这种类型的人成熟早，对他来说幸福和满足常在。他的积极性能够得以发挥，他的才能被人们所承认。他很现实，受梦想和期望所左右。

他喜欢与每个人保持良好的关系，愿意在有好朋友的地方长期工作。他能从零开始学习一个新学科，并能善始善终。消极的一面：争强好胜，自认为公正善良，不能容忍别人不听从他的指挥。

名誉和形象对他来说至关重要，但对他所爱的人是谅解的，并且采取保护的态度。他有很高的物质标准，总是以自己的成功与同代人比较。这种人可能由于过分实际而变得很小气。

他从不赌博，也很少投机，结果，他的财产会慢慢增加；他信守诺言，并且希望他的同事们也是如此。

属鼠人与时辰的对应关系

子时出生（鼠时辰）
——午夜 11 时至凌晨 1 时

他非常可爱、迷人，

但有些傲慢，

是个以家庭为中心的人，

并适于成为作家。

丑时出生（牛时辰）
——凌晨1时至3时

这种人是严肃、

行动缓慢、

稳重的人，

他的赌博本能被牛的告诫所限制。

寅时出生（虎时辰）
——凌晨3时至5时

这种人好斗、专横，

能获取丰富的果实，

如果他能节省一些钱，

一切都会变好，

而省钱恰恰是虎属相所反感的。

卯时出生（兔时辰）
——早晨5时至7时

他也许是一个温顺的、
说话慢声细语的人，
但他更擅长算计，
鼠的魅力和兔的聪明结合
将使这种人处于不可战胜的地位。

辰时出生（龙时辰）
——早晨7时至9时

这种人是挥霍型的，
他很大方，
有时超出他的经济能力，
他有时会给你一笔货款而又后悔，
龙的坚强意志和鼠的赚钱才干
会使他在生意中立于不败之地。

你我她

巳时出生（蛇时辰）

——上午 9 时至 11 时

他会有隐藏的崇拜者，

他擅长探听他人心中的秘密，

蛇的本性使他能够提防潜在的危险。

午时出生（马时辰）
——上午11时至下午1时

这是一种精力充沛、
胆子很大的人。
他的一生中将伴有许多风险。
马的捉摸不定的本性
可能使他的爱情道路非常坎坷。

未时出生（羊时辰）
——下午1时至3时

这种人过于伤感，
他高雅的气质会大大地
冲淡他赚钱的嗜好。
既然羊和鼠都是投机主义者，
那么他一定是善于玩弄权术的人。

申时出生（猴时辰）
——下午 3 时至 5 时

他非常有事业心，
从书本上学到的一切知识，
他都会用于实践，
他说话很有幽默感。

你我

酉时出生（鸡时辰）

——下午 5 时至 7 时

他很能干，理解力很强，但骄傲自满。

他有节约的本性，

但也有不会计划开支的弱点。

由于他具有管理的天分，

所以他会在经营别人的买卖中

使自己摆脱贫困。

戌时出生（狗时辰）
——晚 7 时至 9 时

狗的本性使他尽量公正无偏见，
而鼠渴望财富的本性违背着狗的高尚良心。
尽管如此，
在这种人中还是可以产生出
伟大的作家、哲学家、新闻学家，
不过他们的作品是尖刻的。

亥时出生（猪时辰）
——晚 9 时至 11 时

这种人讨厌猪的瞻前顾后的本性，
但又无法摆脱它，
这会使他面对不利的形势踌躇不前。
他也许以一个老好人而告终，
但不会受到人们的感谢，
除非他非常聪明。

属鼠人在其他生肖年中的运程

鼠　年

对于属鼠的人来说是繁荣的一年，
他可以期望在事业上获得进展。
这一年几乎没有疾病使他烦恼，
他可以获得意想不到的收获和金钱。

牛　年

尚好的一年。

虽然收获不是显而易见的,

但对他的家庭不失为光明、幸福的一年。

他会间接地从他人的财富中获益。

在他的工作中可能会有压力,

他的责任要比往年的大。

虎 年

这一年投机是不安全的。

容易被人误解

或被迫违心地做一些事情。

兔 年

安稳平静的一年。

不过,

有必要小心自己的钱财。

在家庭和工作中也许会有些误会,

但会结交新的业务关系。

这一年他的家庭成员会增加。

龙 年

非常好的一年。

生意兴隆，

很有前途。

这一年他的收入是平稳的。

或许得到提升。

但当他的成绩被社会承认后，

要小心结交新朋友，

因为这些新朋友总是想利用他。

蛇 年

多种因素混合的一年。
在投资上要十分小心。
他被疾病或破财的阴影笼罩着。
运气将会在年底好转,
　也许会弥补些损失。

马 年

困难在等待着他。

他在做各种决策时不得不非常保守。

有些事会迫使他请客、挥霍钱财，

或卷入法律诉讼的案件中去。

他或许会欠债或不能收回他应有的财产。

这年谈恋爱也不会有什么结果。

羊 年

今年的财政会得到一些恢复，

并会取得一些成绩，

事业顺利。

然而，

不经过一些变动，

他的计划是不会全部实现的。

他能发现和利用各种机会。

猴　年

家庭事业不会出现麻烦。
工作会有成效。
他得到的好消息要多于坏消息。
然而他今年应避免与人结怨，
以免将来遭到报复。

鸡 年

喜庆的事情等待着他。
这年是结婚和结交新伙伴的好机会。
这是令人非常兴奋的一年,
喜事可能在一夜之间降临。
由于他忙于计划而履行诺言,
所以必须保重身体,
不要劳累工作。

狗 年

这一年是很不愉快的，
祸不单行。
他可能在旅行中就得到坏消息，
他没有能力改变这一切。
由于有许多未了结的事情牵扯着他的精力，
所以他今年很烦恼、焦虑。
在这个时候一定要耐心、谨慎。

猪　年

做生意和投资不会有很大的进展,
这时候需要巩固他的成绩。
朋友或家中成员
会过多消耗他的时间和金钱。
如不小心,
就会旧病复发。

属鼠人生月趣解

生于正月

自视清高,幸为人热忱、肯干,很懂做人的道理,很得朋友的好感,又得朋友助力,宜发展事业,其人个性特别,越困难越发挥潜力。

生于二月

处世大方,文雅之人,这种人多凭自己的直觉去做事情,并且不敢面对现实。胆量较小,不喜欢刺激的生活。缺点是意志不够坚定极易受环境影响。

生于三月

是个好活动的人,任何场合都多有他的出现。甚有谋略,适合做计划、设计的工作。心肠甚软,遇事畏缩,很容易错失大好机会。可喜的是,一生财运甚佳。

生于四月

一生福禄清淡,劳碌奔波,较为老成持重,不喜欢追逐名利,为人脚踏实地,个性随和大方,而且十分乐观,即使处困境之岁月,

也自得其乐。可惜家庭生活不太融洽,更须防重婚之危。

生于五月

东走西奔,废寝忘食。有灵活的头脑,处理事情有很高水平,生活相当朴素。不喜欢物质享受,而专致于职业方面,很容易成为专业的人才。家庭生活愉快。

生于六月

清闲自在,有名有利,交际手段十分灵活,甚懂处事做人的道理,是个积极活动的中坚分子。但个性自奉其俭,是个守财的人。

生于七月

个性很强,凡事必全力以赴,力干到底,很得信义,颇有威严,是社会上的领导人才,可成功立业。由于清高自傲,夫妇意见相悖,家庭和气不佳。

生于八月

才华卓越,头脑聪明,常有不平衡的心态,故是一个最佳的文学艺术的成功人士。若从事教学，必桃李满门，甚得大众赞赏。即使有难也有福星照耀，可逢凶化吉。

生于九月

为人稳重，手段相当灵活，处事有条不紊而有决断，会把握时机。颇得外缘之助力，可享父业，有创业兴家之相。发福颇早，名利佳。

生于十月

志高气昂有胆量，做事胆大心细如有神助。可惜运气时有不平衡，难耐之感，宜工商界做事。

生于十一月

与人合作十分愉快，肯吃眼前亏，也不会与人计较。身体健康，精力充沛有不成不休的性格，只惜易受客观环境影响，而缺乏忍耐力，也易受异性困扰。

生于十二月

工作热情非常高，做事倾注全力也不觉得疲乏。具有坚韧的品格，不达目的誓不罢休。

属鼠人生日趣解

生于初一

男女吉格占中，福禄难全，初显平平，中年遇贵人之助，发达有机。光宗耀祖，是争气的子孙。

生于初二

良善人和，体质健康，初年辛苦，多劳累，兄弟难靠，自成家业，中年开始转运，晚岁发达。男士聪明，女士清秀外表很吸引人。

生于初三

夫妻如意，和睦相处，可惜恐有不能长相守。子女有贵人相助，中年后走盛运左右逢源。是富贵荣华之命。

生于初四

命带桃花常于花街柳巷，门外纷争，多是风流子弟，一生无望，平淡终老。此日若逢丑时，男人不近人意，女人则吉祥如意。

生于初五

聪明伶俐，懂事早，能顾家，早年辛劳，中年运气转盛，晚年安稳无难。无忧之命。

生于初六

有苦有乐，初年较好，比较富足，但好学而成少，少年属平平，旺运时得在四十往后，有成功之格。父兄无靠，白手起家之命。

生于初七
性格复杂，脾气古怪。兄弟有情，二十五岁有佳运，有功可成。女命胜男命，佳偶天成，守之平和。多达之命。

生于初八
一生安乐有福，但与父母缘分淡薄，宜离家成就事业，中晚吉祥。女命操劳，属养育中平之命。

生于初九
男女皆吉，体貌端正，孝顺之子女，受人敬爱。初显平平，晚景有福，名利双收，一生心肠好。慈悲之命。

生于初十
若生时占酉时，不佳。轻者不贪妻恋子，重则贪花恋酒，一生犯桃花。少年辛苦，家庭缘薄，中年开运。晚福可得之命。

生于十一
生日占戌时不好，恐要无依无靠，孤苦伶仃。虽智力足，果断行事，可料事不佳。福运在换，年高之命。

生于十二

男女性格腼腆,为人温和,能吃苦,勤俭有嘉。初显运平,中年转运,方见开泰,晚年余庆,名利双收,家门兴隆。福禄之命。

生于十三

男女皆吉,洪福齐天,金运可达,三星拱照,福禄有余,印显通达,功成有望。女命优男命,富贵可行,一生无忧无虑。金运之命。

生于十四

稳重沉静,男命清奇,初显平平,发家立业得借助妻力;女士貌美,初运不开,中运转高,子女双有。厚福之命。

生于十五

夫妻互敬,百年偕老,如生时占吉时,一生将有顺达。占亥时很不好。

生于十六

男女皆是聪明,喜钻艺术,前半年将财来财去,身累心劳。喜忧参半之命也。

生于十七

耐力较强,智力不足,运期多有障碍,六亲无靠,自立起家,三十五岁以后大有发展。男女皆是发达之命。

生于十八

男女皆吉，名利双收，在社会上有一定知名度。男女皆有桃花之数，身有暗疾，要慎重。中年前属平平，晚景福命。有年高寿长之命。

生于十九

吉祥如意，功成有期，繁荣昌盛。非久居人下，文成掷声，名高望远，鹏程大展。

生于二十

男士宜离祖外乡谋财，骨肉无依，亲朋好友无靠，克上克下，晚年有幸；女士爱说爱笑，人缘好，旺夫命，持家贤能，多福之命。

生于二十一

男士命有贤妻助力，福禄顺达，艺高胆大，不服他人，中年平庸；女士心软，邻里和睦，子女双有。有财益之命。

生于二十二

天资聪明，守信义，初显艰难，三十过后起色兴隆，功成名达，名利双收。是晚景大兴福禄之命。

生于二十三

这山更望那山高，住址常换，好争好斗。中年发展，钱财在中晚可得，女命胜男命，子孙皆很昌盛。当有荣华之命。
生于二十四
做事专心，是个成器之才，受人尊敬。女命不如男命，操心费神。有福中晚之命。
生于二十五
命带忠厚，爱多管闲事，又喜做好事。取有贤妻助力，女方巧料家庭，勤俭可喜，子女不缺，中晚发达。白手起家之命。
生于二十六
有苦有乐，初年较好，比较富足，但学多成少，少年属平平。旺运的时候得在四十往后，有成功之路，中晚发达。属旺家之命。
生于二十七
花钱无度，变化无常，三十往后前途可望。女士旺夫命，勤俭持家贤惠。厚福寿长年高之命。
生于二十八
男女皆命运中平，一生有苦有乐，多有坎坷，父母难靠。早婚犯克，晚婚吉祥，求得温和。比上不足，比下有余。
生于二十九
男女皆是先苦后甜，前两步运期不算多

吉,辛苦多累,愁多兴少,中年运开,夫借妻力、妇占夫光。比上不足,比下有余。
生于三十
男女皆吉,聪明活泼,待人公平不偏,好做善事,前途无忧。中年后印显财丰,家旺兴隆。是个多福多寿之命。

属鼠人的姻缘

古人认为，寰形相克图（下图）两端直接对应的属相是排斥的。

天　　　　　　　　　　　地

和　　　　　　　　　　　谐

鼠+鼠

共同点未免太多,他们都是真心实意的,并迷恋家庭生活。但是他们太相似了,互相也太了解了,他们会因此而苦恼。鼠丈夫可能比鼠太太更随和,她可能更倾心于某些浮华表面的琐事。两人都老于世故,专为自己打算,这种性格的两个人会非常热切地相互注视,却未必喜欢更进一步地接近。

鼠+牛

幸福的婚配。充满深情的鼠丈夫对常为安全问题担心的牛太太是颇具吸引力的。他能很好地赡养家庭。在他的账目中养家是主要的,必不可少的。而她本分、能干、可信赖。她热切地关注他的一切需要,为他把家庭料理得井井有条。在这种安排下,他们无疑会互相称赞。虽然他们已有很好的分工,但都愿意做更多的事。感情外露而洋溢的鼠丈夫能使牛太太变得更顺从,更少一些倔强。

鼠+虎

他富于成就感,是个顾家的男人。她充满柔情,心地宽宏,而不落俗套。他们会有很多共同点,诸如喜欢交际、充满活力、兴趣广泛等等。他追求权利和财富,她则喜欢权利、财富带来的显赫和被人认可。不过,他可能会对她突如其来的行动产生不满,她也会挑剔他时时表现出来的吝啬。但他们基本上是乐观的,他们会努力弥补二人间的差异,并将这种差异降到生活中的次要位置。

鼠+兔

也许并非是最佳选择。双方都是富有魅力的、愉快的，但都不是无私的和乐于为他人奉献的人。他们可能是友好的、真挚的，但持久不变的共处会使双方得不到满足感。他有占有欲、痴情，她却用被动、消极回报他的热情。最后双方的期待都会大大降低。

鼠+龙

他们都有勇气,并且果断。这对婚配有一个光明的、有所酬报的未来。他们谁也不会过分地限制对方。鼠丈夫会发现他的龙太太是一个很值得赞美的伴侣,只是有点自以为是。两人都过于自信并信赖对方。他们将会更多地看到生活的光明面,并从这婚姻中获得极大的满足。

鼠+蛇

两人都有占有欲，都很现实，所以能找出对方的优点来对双方的关系进行必要的调节。鼠丈夫看重蛇太太的明朗和坚韧，蛇太太也认为鼠丈夫有不凡的抱负和聪慧，很适宜与他共建家庭。他可能更有变通能力，更潇洒，她则是谨慎的。他可以依赖她那种觉察危险的敏锐能力，她则为鼠丈夫的热诚而深深感动，并以同样的热情回报。

鼠+马

两人都有独立自主和积极主动的精神。但他对她的不安定和前后矛盾的性格非常厌倦。他们对于对方的思维方式无法理解,也不能同甘共苦。

鼠+羊

鼠未必愿意与一个精神过敏、不切实际的羊太太共建家庭。而她只是在受到娇宠时才会同意与他结合。精明的鼠丈夫会发现,她太奢侈,无法供养得起。她认为他太精明、太贪婪,不合她的口味。两人不会大吵大嚷,而是将怨恨深深藏在心里,并因此而深感失望。

鼠+猴

非常相和。他迷恋她的灵巧和娇媚,她钦佩他的能干和进取心。他们都有成功意识,将互相扶持,把对方推上成功的阶梯。他们都不是神经过敏的人,能够理解对方的不足。他们可以共同工作,也可以各做各的互不干扰,他们能够消除双方关系中的任何裂痕。

鼠+鸡

很难相和。她总是挑剔他的短处,并认为自己是出于好意,有责任提醒他注意。他却无法容忍她的怪癖和过分,他憎恶她这样,觉得感情受到了伤害,他希望她不要神经过敏,她对他的这种憎恶却感到惊讶,指责他忘恩负义。

鼠+狗

他们都喜欢安宁,都是独立自主的人。他精力充沛、工作勤奋、富于魅力,令人感到亲切。她忠实而机灵,热情而又善感。这种婚配存在危险,那就是如果两人都一味向对方让步的话,双方都会感到生活索然无味,感到关系过于冷漠,而使这种关系中断。

鼠+猪

他们都醉心于生活,在肉体和精神上彼此都具有吸引力。但他们都过于乐观和直率,会使好运走过了头,他们既没有足够的精力去刹车,又不能找到一种力量使他们的关系稳定下来。要保证他们婚姻的成功,尚需某种凝聚力。

牛+鼠

他是值得信赖的,总是充足地供应家里的物质需要。她对他钟情而溺爱,总用他所喜欢的方式安排家庭的一切。这是非常满足且相互间能给予酬答的一对。他强健,沉默寡言,喜欢被善良的妻子所钦佩,让她替他担心,而她满足于他提供给她的安全感及稳定性。两人都没有什么可抱怨的。

虎+鼠

没有多少共同之处。对喜欢家庭生活的、多愁善感的鼠太太来说,虎丈夫是太鲁莽、太专横了。她只有在受到赞赏时才会做到周到体贴,但虎丈夫脾气急躁,总是专注在自己的事情中。他认为她心胸狭窄,有占有欲,对别人太苛求。两人对对方的行为总是感到不满。

兔+鼠

鼠太太爱好交际,活泼狡黠。兔丈夫性格温和,并不倾心于在事业上发奋,性格与他那合群的、欢乐的妻子颇不相同。但他们都爱好家庭生活,也都很实际,她热情、亲切能激起他的情绪。这是一对靠得住的伴侣。

龙+鼠

龙丈夫会体验到妻子忠实而乐观的爱情。鼠太太也会甘愿随他走遍天涯海角。他豪爽，而她节俭、富于智谋。他能挣钱，也能挥霍，但他总要储备一些以防不测。她可爱、善于谈吐，总把他当成领袖。这将是个丰裕而持久的家庭。

蛇+鼠

他们都有抱负、有雄心,谁也不会停止向上攀登。如果他们都有正确的态度,在谁居优势地位一事上取得一致的话,这会是个有益的婚姻。鼠太太善于交际、非常迷人、疼爱她那野心勃勃但性格内向的丈夫,尽管她所渴望的要比他所给予的多。他们都足智多谋、善于表现。他们应注意不受嫉妒心的影响,相互间不要保守秘密,能够这样,他们的婚姻就会获得成功。

马+鼠

无论在精神上还是在肉体上,他都需要自由。她头脑清醒、勤奋,一往情深,甘愿沉浸在小家庭的柔情中,他却竭力在一些未知的领域内不断求索。她机智,精力旺盛,而他喜欢冒险。他认为她太专横,她认为他太自私,不体谅别人。在仔细权衡之后,他们发现谁也没有足够的吸引力能使这场婚姻持续下去。

羊+鼠

两人都有魅力,热情、纤弱,但共同点仅此而已。她的点子很多,爱寻根究底,工作努力。羊先生与他勤奋的配偶相比,就可能显得太漫不经心。她节省和珍惜钱财,他却在心血来潮时铺张浪费。她总是机警、实际和清醒的,他有创造性,但感情用事,有时消极等待。她被惹恼时会很琐碎地挑剔。他觉得她心中太有数,无法与之交流。在这种结合里两个成员不易相互了解,所以彼此给予不多。

猴+鼠

　　两人在一起会极有建树,她是个愉快、能干的管家,他是她引以为荣的、了不起的军师。鼠太太能把快乐的猴丈夫安顿得很好,猴丈夫也赞美鼠太太的勤劳节俭。他们不断地发现对方值得称赞的品质,他们的婚姻将是有价值的、美满的,还会有好的财运。

鸡+鼠

　　他善于分析,追求完美,她善于鼓励人,务实,很明了自己的权利。他专横武断,动辄训人,她则不愿接受批评,受到冒犯时显得没有气量。他不如她对婚姻关系那样敏感和热情,而她的能干和足智多谋又使她不肯盲目听从他的命令。他们总是不必要地互相触怒。

狗+鼠

若他们有共同的兴趣和爱好,此番结合将会平稳发展,他们都明事理、与人友好、开朗,之间极少摩擦,婚姻的前景是美满的。妻子显得更热情、勤劳,而丈夫则理所当然显得清闲、懒散并老于世故,以避免在不必要的问题上发生争论;他们都试图留给对方起码的活动场地和空间,保证其在家中有言论和行动的自由。

猪+鼠

彼此有很强的吸引力,两人都力求造成一种亲密无间的气氛。他们待人友好、善于交际且精力旺盛,家庭、朋友和共同的兴趣是他们生活的中心,他们可以一起举办招待会款待客人。对与他们有关的事总是主动介入,观点鲜明。两人相比,妻子精明、强干,丈夫显得老实厚道。

平安一生

吉祥四季

春 夏 秋 冬

【生于春】吉祥方位：西方、西北方
吉祥颜色：白色、灰色、黄色
吉祥饰品：铜锣、金丝眼镜、金表
吉祥密码：酉、申、巳、丑、庚、辛
吉祥行业：从事与"金"相关的行业

【生于夏】吉祥方位：北方、东北方
吉祥颜色：蓝色、黑色、白色
吉祥饰品：孔子铜像、金链、蓝田玉、金笔
吉祥密码：子、丑、申、辰、亥
吉祥行业：从事与"水"相关的行业

【生于秋】吉祥方位：东方、东南方
吉祥颜色：绿色、黑色
吉祥饰品：木鱼、木佛珠、绿宝石、灵芝、竹板平安、人参王
吉祥密码：甲、乙、寅、卯、亥
吉祥行业：从事与"木"相关的行业

【生于冬】吉祥方位：南方、西南方
吉祥颜色：红色、紫色、黄色
吉祥饰品：红木用品、打火机、太阳画、牡丹花、玩具猫、骏马图
吉祥密码：午、寅、戌、巳、未
吉祥行业：从事与"火"相关的行业